ABRIL SIETE

Dania Euceda

A mi padre,
el origen de mis versos

Solo porque sí y a manera de presentación

Chaco de la Pitoreta

Es curioso pero el árbol de la vida suele florecer justo cuando se presenta la muerte y la muerte, que a menudo suele ser temida e incomprendida, es justamente la condición que hace posible que emerja la vida. Así, para ponerlo en ejemplo, la semilla muere y es puesta en tierra para que dé cabida al árbol frondoso, la cebada muere para que nazca la bebida fermentada y la levadura se mezcla en la harina para hacer salir al pan que, cocido al horno, después es triturado por los dientes para expulsar el hambre y devolver la fuerza; y en el caso de las emociones que se suicidan para nacer de nuevo como poesía.

Abril siete, el poemario de la joven Dania Euceda es una puerta en donde convergen, a veces, la vida y la muerte. Se saludan y rosan, se miran y condenan, se abren camino la una a la otra pero se respetan. Se respetan como se respeta la poesía en cada verso acá encontrado, con cada imagen expuesta, con las emociones diversas y la utopía del encuentro posible en los tiempos imposibles de esas idas sin regreso y de las estancias ambiguas.

Dania Euceda juega con el amor en libertad, con la vida que trasciende y con la soledad que condena a búsquedas y no a solos amaneceres. Abril siete es el canto a la nada en un espacio que lo fue todo y la elegía de la esperanza en una realidad que pareciera descontinuada. La poesía acá entregada tiene por tanto un poco de todos y nada de imposibles, pues en este verso los límites son del lector y la ruta del corazón.

Hay una forma peculiar de construir en la poesía de Dania que la hace parecer una poeta de largo recorrido y pesadas emociones. Y quizá lo sea. Al fin que el recorrido no siempre tiene que ver con los años sino con la intensidad y pasión con la que se asume el ejercicio de algo y las emociones no escatiman del tiempo, solo se presentan, te sacuden y revuelven la existencia.

Los poemas en este libro se pueden leer como si fuera uno solo de la misma manera que puedes saltar de uno a otro sin sentir que te quedas con el pendiente de algo o alguien. Se le puede poner rostro a uno y amarlo como tal, o nombrarlos a todos en uno y amarlos igual desde esa condición de uno que solo la poesía es capaz de permitirnos. De manera que el poema puede ser mío o de ustedes y Dania no tiene más remedio que saber que escribió emociones que, en su verso propio, se universalizan y pasan de ser sentimientos propios a volverse colectivos en lo individual de quien los asuma.

A menudo las presentaciones o prólogos de libros son un retildeo de frases y versos de los textos incluidos y muy poco de las emociones ahí expresadas. Yo he querido jugar con este otro lado del poemario y presentarlo con la simpleza áspera de mis palabras sin tener que ensuciar la dulzura del verso que Dania recoge en este poemario al que ha nombrado "Abril siete".

Para AteA editorial es un privilegio ser parte de este libro y hacer posible el sueño de Dania Euceda de dejar sus versos en manos de la humanidad. Y para mí Chaco de la Pitoreta (Héctor Flores) tener la oportunidad de escribir estas palabras es un honor que debo agradecer a mis ancestros y ancestras y a Dania Euceda en quien espero mis palabras surtan el efecto indicado por este proyecto tan bonito que nos regala.

Quiero, por ende, dejar el deleite de la lectura de los poemas a ustedes, sin mencionarlos, citarlos, pegarlos y pretender resumir emociones en este espacio que es solo una presentación y un modesto intento de prólogo. Ustedes sumérjanse en esta constelación de versos y dejen que los vientos cósmicos se los lleven por esas rutas en donde lo cotidiano y lo mágico se juntan y vuelven posible lo imposible. Disfrútenlos.

APRENDIZ Y MAESTRO

Saturada con el perfume
y el rocío del amanecer,
leía en voz alta unos versos...
Un pajarillo se acercó,
musitándome al oído dijo:
¡Enséñame poesía!
Le respondí:
¿Cómo podría instruirte?
¡Si tú eres un gran maestro!
Mientras vuelas
con tu plumaje y tu canto
¡Estás versando a la vida!
Escribes tus poemas al viento.
Mi poesía es sólo un susurro
que anhela seguir tu vuelo...

CLARO DE ESTRELLAS

Lo mío es
atravesar montañas,
derribarme en el campo
y deslizarme sobre las hojas secas.

Caminar despacio,
correr acompañando al rio
en su viaje interminable hacia el mar.

Es dibujar un claro de estrellas,
dedicarle mi canto y despedir
con un adagio de besos
al tiempo que se va...
sin regreso.

ABRIL SIETE
marca el calendario...
y la luna brilla sutilmente llena de ti.
Las olas con su acompasada voz
invocan tu nombre.

El sol se detiene por un instante,
su luz engulle mi alma,
las sombras huyen y siento tu palpitar,
mientras nace un verso
emulando tu mirada.

El universo entero conspira
y te percibo a mi diestra.
Tu espíritu guerrero
corre por mis venas.

¿Cómo perderme?
¡Soy tu pequeña!
vas delante guiando mis pasos...
así lo hacían tus latidos.

El sempiterno abril
refresca nuestro recuerdo:
árbol y retoño...
contemplando el cielo.

TEJEDOR DE SUEÑOS

Descansa en el costado
de una estrella,
visita los abismos del océano,
camina en el infortunio
de la soledad.

Plumas doradas del silencio
tejen los sueños,
con versos inmortales
en su armadura de años...

DI LA VUELTA AL SOL
sobre miles de segundos suicidas;
y en cada vuelta
se impregnó en mi piel
el calor de su corona.

Cerré la herida del tiempo
con mis cabellos,
dediqué un soneto
a la cicatriz.

Y el tiempo herido,
no murió.

En mis ojos no cabe su figura;
y de sus grietas,
emerge cada noche,
una aurora boreal
atravesando mis versos...

MEDITACIÓN

Camino sobre la estrecha línea
de la vida y la muerte.
Reconozco
que vale la pena.

Bajo mis escombros
caminan las hormigas,
creando poco a poco un escape
que me lleve a la luz del día.

Los miedos ya no se ocupan de mí.
De mi maestro, el tiempo,
aprendí a contemplar
la vida
desde el atrio
del silencio...

¿VOLVEREMOS A VERNOS?
me preguntas...
mientras la muerte
prepara la respuesta.

Te disuelves con la lluvia,
inundando de nostalgia
este campo, que me habla tanto de tí.

¿Recuerdas?
La vida... parecía
interminable
desde nuestra ventana.

EL TREN DE TU AUSENCIA
sigue atrapado en el túnel
de mis adentros.

En una de sus ventanas
con el vapor de mi aliento,
escribí tu nombre y
al leerlo se volvió poesía.

Sé que estas a mi lado...
tu voz
aún resuena
en el silencio.

PREMONICIONES

Me acomodé
bajo la sombra de un árbol...
En lo alto el calcinante sol
entorpecía mis pensamientos.
¿Dónde se esconde la lluvia?
¿Por qué lloro al ver el cielo?

Diviso el futuro
y en él, escucho mi voz tranquila...

Respiro...
Respiro...
Me levanto
y con una sonrisa
retomo mi viaje,
a la tierra de los sueños.

INQUEBRANTABLE

Ha existido
algo dentro de mí
que no logra romperse.
De algún modo sospecho,
que está construido
con la delicadeza de una flor.

ELLA

El destino,
paseo incierto
en la oscuridad de sus ruinas.
Golpeada por el viento
aprende de vuelos
inadvertidos.
Desconociéndose al amanecer
aniquila el tedio...
con su sonrisa.

MI LUGAR

Una copa
al borde del vacío,
derramando
el canto de las aves.
Un abrazo desesperado.
Breve adiós.
El olvido.

RESURGIR

Amado río
llévame contigo al mar,
para sanar mis heridas
con el vigoroso canto de las gaviotas.

Hazme parte de ti,
acaríciame,
sacude mis adentros,
que resurgir de tus meandros quiero.

Humedece mis recuerdos.
Los momentos perdidos
entre el crepúsculo y la noche.

Y llévate lejos
aquella piedra que lancé
junto a mis temores.

INTERIORIDAD

Soy lo que mis ojos ven
entre las sombras;
los mismos que
al llorar
miran
mi interior,
rescatan el sentido,
recuerdan el camino;
y me llevan de regreso a casa...

MI HISTORIA
la contaré en silencio.
El resto,
lo cantarán las aves.

Las rosas
recitarán mis versos.

Y tus ojos,
guardarán mis secretos.

UNA CICATRIZ ES...

¡El templo de los que se sienten vivos!
La verdad oculta en la piel.
Figuras con narrativas audaces
que hacen llorar las rocas...

Monumentos
donde el dolor
deja su huella más profunda.

Y la vida
refrenda el poder sanador
de una caricia.

MI TIEMPO

es aleteo de colibrí.
Verso invisible
a la pulsátil rutina...
Presagio de un aquietado mañana.

Antes corría descalza
sobre la dureza de las piedras,
descendiendo
por las mismas trincheras
donde mis padres eran la juventud
que llevo entre mis manos.

Inocente seguía el camino,
acariciada
por el polvo que levantaban
las carretas al transitar
por el reseco camino de mi pueblo.

El corazón derramé,
en el verde campo
descubriendo
su aromático presente.

¡Es mi hogar!
Siguiéndome a todas partes...

MIS MANOS, MIS OJOS, MI VIDA...

Desde la punta de un roble
hasta su raíz más profunda,
fluyes con el agua,
estas en todas partes;
inagotable, conmovedor,
te aposentas en mis adentros.

Llenas mis manos
cuando las abro,
resplandor que deslumbra
aunque cierre mis ojos.

Sin principio
y sin fin
axiomático...
¡mi universo!

NO ME RINDO

El sol
quemó mi sombra,
el agua
derribó mis conceptos.

En cada paso
he vuelto a comenzar.
Irreconocible,
con aires de lozanía
¡Ahora soy parte del camino!

RAÍCES

Con la fertilidad de un verso
en el exilio
florecieron mis sueños,
pintados con el rubor del alba
y la melancólica historia de un río.

Atravesando el puente
que une mis sentidos,
arribo impasible a los cerros,
¡Corro, canto, sueño!
y renace con el rasgueo
de mi guitarra,
la voz de mi pueblo...

SOMOS
el viento fresco...
Llanto en las montañas.

Ave en vuelo.
Aurora sobre sus alas...

CÓMPLICES

La bondad de la tierra
en el patio trasero de mi casa,
tiene forma de árbol.

Soy su guardiana,
amante de sus raíces,
gota de rocío en sus hojas,
blanca mariposa en su copa.

Nos hicimos cómplices,
le cuento mis infortunios
y él me regala el silencio.

Me abraza con sus cansadas ramas,
secas de tanto querernos...

VACÍO

Grito tu nombre
en la cara oculta de la luna.
Ensordecen mis oídos
los ecos de auxilio,
atrapados en el cráter de tu ausencia.

Dentro de mí abunda el vacío,
lo guardo para el último beso,
que tatuaste en mi frente.

VIAJERA

En el jardín de mi casa
comencé a recorrer el mundo,
no fui muy lejos;
En la primera escala de mi viaje
disfruté los paisajes
más hermosos
¿que me espera en los abrojos?

LIBERTAD

Me perdí del norte,
pero salvé mi vida.
Por suerte,
aún existe el sur...

Y por suerte aún mayor,
todos los caminos
saben a libertad...

QUE BIEN ESTAMOS AQUÍ...

Hay un árbol
tu silencio
y una mariposa
besando sueños...

CAMBIO

Viene con las ruinas.
Sopla como el viento.
Surge entre el miedo
y derriba murallas de orgullo.

Galopa sin prisa
al atravesar las praderas,
en el vaivén de las olas,
con la vida y la muerte.

El cambio inevitable de la tierra
hecha de estaciones,
se congela y derrite,
fluye y entre las piedras
cae sin herirse.

Es la sonrisa de los amaneceres,
el canto de los pájaros,
que invita a vivir
con la mirada puesta en el alba.

El cambio eres tú cuando amas.
Es tu espera paciente.
Es el que tiene sabor a sal,
y se vuelve dulce,
cuando besas mi frente.

CADA TARDE

tengo el privilegio
de vivir un rato entre las nubes...
y disfrutar mi libertad.

Apreciando desde las alturas
el infinito cielo...
lo pequeño que somos.

REPAREMOS EL PRESENTE

No hablo de las cosas
que acaban en el olvido,
me refiero;
a ti, a mí y a la vida.

Cosamos alegrías
enhebrando una aguja,
con un hilo de lagrimas
y música en los labios.

Tallemos una sonrisa
en el rostro de los caídos,
pintemos un claro de luna
en la tristeza de sus ojos...

CATACLISMO

De fondo suena el telediario,
anunciando
el cataclismo.
Afuera, la muerte;
adentro, mi corazón macerado,
golpeado por mil preguntas.
¿Para qué el dolor?
¿De quién la alegría?

Los ensangrentados
y sedientos,
anegados sobre sus propias lágrimas
eximen de responder
a mis preguntas.

Escuchan los pasos del olvido,
escondiéndose entre la nada
para limpiar sus rostros
y sonreírle ceremonialmente
a las penas.

¿Es real la alegría?
se preguntan,
mientras imaginan
otras formas,
otros mundos,
otros sueños...

CAMINEMOS
un domingo por la tarde,
soñemos que somos niños,
para jugar a que ganamos siempre.

Demos la vuelta al mundo,
conquistemos la luna,
¡Sin olvidar que está hecha de queso!

Volvamos a ser niños;
creadores de sueños,
de mundos fantásticos e inexplorados...
Expertos buscadores,
encontrando
milagros entre risas
¡Amigos y amantes de la vida!

CITA CON EL TIEMPO

Poco tengo que decir
del pasado,
no me inquieta,
hemos hecho las paces.

Los asuntos del mañana
decidieron esperar,
un obsequio envuelto por el universo.
mientras me tomo un café
y me entrego al presente.

Me fundo en su abrazo cósmico
con gratitud
e incertidumbre...

EL AMOR
ángel y demonio...
da mieles de lo bello
y amargura en desengaños.

El amor
calla y observa mientras hablas
el universo de tus ideas
se expande.

Es tarde lluviosa y soleada,
fuego envolvente
que abrasa sin arder.

Es encuentro,
en un camino solitario,
con rumbo a las praderas
de nuestro interior.

Es origen de todo.
El más antiguo sentimiento.

El amor
es todo lo que soy,
al momento en que te veo.

EL MISMO SOL

En otro tiempo que no es el tuyo
elusivos recuerdos te pertenecen.
Mis ojos tan parecidos a los tuyos,
soñadores y esquivos, vieron el último
suspiro del día.

Lloré sin lágrimas, estas escaparon
con las nubes transformándose en lluvia
para caer sobre la tierra que te vio nacer.

Mi visión confundida entre los árboles
y tu amor fluyendo como las aguas
del Guascorán en las montañas
te espera bajo las palmas
acariciando el alba.

Soy tu niña rasgueando una guitarra
y mi voz perdida en los rescoldos
de la lejanía.

IMPETUOSA

Apenas renacuajo
emerjo lastimera
de las aguas mortales
del viejo estanque.

Me acechan las aristas
filosas de las piedras
que abren profundas grietas
en mi indeleble piel.

Ángel de la noche
¿Acaso vienes por mí?
¡Acércate!
Que no temo a tus alas...

RECONOZCO
lo volátil
del sentimiento...
en un cementerio
de mentiras
enterré mi pasado
y deposité una rosa blanca
en memoria... del amor.

TERNURA

Al desvanecerte
tus restos fríos descansarán ebrios de distancia.

Serás la ternura misma expandiéndose,
para seguir viviendo en todas partes.

HAY ENERGÍA EN CADA ESQUINA

En la vereda
reposan los caminantes,
acompañan las flores,
¡Es imposible rendirse!

Sus huellas despliegan la vida,
hacen del camino,
su tesoro;
y el destino,
su trascendencia.

TU VERDAD

El verdor de tus años
despierta la esperanza.
Alegría es tu verdad primera.
¿Cómo no escuchar tu canto?
Si el mismo sol gira en tu búsqueda,
para celebrar juntos
el encuentro
y la vida...

¿INDEPENDENCIA?

Sólo
la del espíritu
consagrado
a los sueños.
El resto...
¡Vana ilusión!

REMEDIO CASERO

Si buscas
la felicidad,
hazlo
primero en tu casa
y ahí encontrarás
la medicina infalible del universo...

ÁNGELES

Con sus alas
de formas discretas,
cubren la espalda del viajero.

Inquietas, agitan el polvo,
encontrando las huellas
del caminante herido.

Transforman el luto en sonrisas
y el clamor que nadie cuenta
al pie de una camilla.

Abren paso, con sus alas, nos elevan...

Dicen que habitan entre nosotros.
Sospecho que tú,
eres uno de ellos...

RAZONES

La primera,
es verte sonreír,
porque no concibo
otra forma de ser.

La segunda,
por salud mental.

La tercera,
por inducción de la costumbre.

LEY DE ATRACCIÓN

Fue algo simple encontrarnos.
Bastó desearlo
con el
alma.

INCENDIO

¡Mi rostro está en llamas!
¡Quién lo diría?
Aún existe coincidencias
que incendian las almas...

VE MÁS ALLÁ...

hacia mi insondable sentimiento.
Contempla mis ausencias,
abraza mi espíritu.

Que yo me sumergiré
en tu océano.

TÚ Y YO
entre tantos versos;
somos certeza de Ser,
en presente;
y la incertidumbre del olvido,
en futuro.

Haciendo este momento:
¡Poesía!

TE REGALO

El ritmo de mi corazón
inquieto cuando sonríes.
Un sueño compartido.
Un camino para dos.

Mis años en primavera,
una tarde de verano en la memoria,
el otoño en mis ojos al verte,
mi calidez en todos tus inviernos...

Te regalo una caricia;
un baile a solas con el amor.

Y todos los poemas
que aún estoy por vivir.

AL VERTE VOLAR
En el infinito
abrazado de una nube,
regresó a mí
el recuerdo
de aquel beso
que dejaste en mi frente;
rescatándome
de todos mis abismos.

EXTRAÑOS

Dos desconocidos
que aprenden entre líneas
a robarse los silencios.

Trozos de madera
flotando a la deriva,
en un mar interior de fuego.

Sin ser el poema menos pensado
que se escribe,
cuando los años funden
la tristeza en la memoria;
convirtiéndonos...
en náufragos de nuestros sueños.

A TRAVÉS DE TUS OJOS
¿Quién no amaría la vida?

Es innegable.
Aprendí a quererte,
mientras navegaba
en tus pupilas

¿Cómo olvidarlos?
Si en ellos la tristeza,
se vuelve más hermosa.

DIME

¿Quién te dio ese sol intenso
que surge en tu mirada?
¿Quién no perdería la razón al verte
cuando llegas con el alba?

No eximas respuestas
que todo en tí te delata...

TERQUEDAD
así nombré
la última flor que me diste.

La que se resiste
a perder sus pétalos,
aferrándose al entorno que te describe;
oculto entre las pirámides de cartas
y castillos de arena,
una fogata bajo la noche estrellada,
la luna,
constelaciones,
el rocío...

CAOS Y COSMOS

Antes de tí, existió el caos.
Llegaste a mí,
abrazándome desde lo simple;
como la poesía liberando mi alma
de forma inesperada
volví a mi origen,
al cosmos...

Ahora te nombro en silencio.
Me llamas poetisa,
pero aquí el poeta
eres tú...

CORRIENDO LIBRES

Si pudiera contar una historia,
sería la nuestra.
En ella habría tigres
saliendo de su escondite.

Esclavos rompiendo cadenas
y corriendo libres.
Seríamos amantes
con botella de vino en mano,
héroes y villanos,
la paz y la guerra.

Si pudiera contarle al mundo...
seríamos dos, siendo uno,
más allá de nuestras creencias.

DECLARACIONES

Amarte,
es un acto de locura,
rebeldía y resistencia,
atentado contra la rutina,
escape del abismo.

Es comernos el mundo
cuando las hadas duermen,
creer en nuestra piel
y emerger con el diluvio
que apagó el infierno.

LA RAZÓN DE NUESTRO SILENCIO

Fue la distancia.
La luna ya no es la misma.

Llegó el olvido,
se fue tu voz...
pero se quedó la luna.

VAMOS DESPACIO

Acuérdate de mí
cuando la lluvia calme.
Apiádate de mi asombro,
en tus brazos
he recordado...
quien
soy.

ENCUENTROS

Un relámpago
estremeció la oscuridad,
cruzó nuestros destinos.

Sin habla,
inventamos signos
para comunicarnos.

Reconocimos nuestras almas
entre una muchedumbre
sin rostros.

El instinto de huida, se disipó...

INTERMINABLE MAR

Me rindo a la seducción   -- Dania
de tu azul profundo.

Al suave céfiro que subleva   -- Fernando
las olas y dispersas besan la playa.

Mis sueños acarician el horizonte   -- Dania
cuando la tarde, se niega a morir.

y con su incesante canto   -- Fernando
reciben la noche.

Eres el principio donde reposa   -- Dania
mi silencio,

el inmenso espejo en que la luna -- Fernando
colorea sus mejillas.

Las golondrinas buscan refugio   -- Dania
en tus acantilados;

las gaviotas elegantes y sin prisa   -- Fernando
surcan tu espacio,

listas a recibir la oscuridad,   -- Dania
cuando el sol se oculte
en tus profundidades...

A VICTORIA (MI MADRE)

Con su mirada enseña las diversas formas de
alegría.

En su extenso jardín, reinan las flores, coronándose
entre pétalos de rosas y musaendas.

Esperándome al llegar a casa, con el renovador
elixir de la flor del beso
su amor supera pandemias, huracanes,
sequías, ausencias...

Mis sueños son los suyos
y viceversa.

En su pecho, habita la fuerza
de todo el universo.

Y en el refugio de sus abrazos,
sé, que puedo cantar ¡Victoria!
¡Ella es mi madre!
¡Yo soy su hija!

SAUDADE

De niña me dijiste: ¡Sueña!
Y aunque te has ido,
quiero contarte a detalle
ahora, soy la chica
que imaginaste:
Fiel seguidora de sus sueños,
inmersa en los libros,
mujer sanadora,
amante de los domingos
por la tarde en casa
con la familia...
O visitando tu lugar en la montaña,
cantando tu canción favorita
con mi guitarra.

Quiero contarte que soy eso
y un poco más;
a veces me olvido de mí misma,
cuando miro a los ojos
de los demás.
He caído una y otra vez...
y en cada aterrizaje
me conocí profundamente.

He triunfado sobre
todo mal pronóstico,
creyendo en lo imposible
lo tomé en mis manos.

Mi mayor premio ha sido
la sonrisa de mi madre.
Encontré mi tesoro entre los árboles.
He vivido el silencio

y lo he amado.

He tocado mis heridas
con la ternura del alma,
y de sus accidentadas huellas
han crecido flores.

He vivido en la ciudad;
bailé entre su ruido,
llevando el recuerdo de mi pueblo
tatuado en la piel.

Más de lo que mis años
me permiten,
crecí con el sol,
brillé junto a la luna.

Y cuanto más lo pienso,
mis mejores viajes han sido,
cuando vuelvo a casa...

Donde tu recuerdo espera.

ME QUEDO CON LA LOCURA
la inspiración de los poetas,
y con los alegres colores
en el lienzo del pintor.

Me quedo en las trincheras de las calles,
los soñadores peldaños
y envejecidas escaleras
que llevan al último encuentro.

Con la añoranza
de campos soleados,
montes y aldeas de casas de adobe
techos tostados
por sedientos veranos.

Al final me queda
la insana aventura...
de haber vivido.

ÍNDICE

Abril Siete
Dania Euceda

2022

Diseño y digramación de texto
Héctor – Chaco de la Pitoreta – Flores

**Diseño y diagramación de portada
y contra portada**
Héctor – Chaco de la Pitoreta – Flores

Revisión
Iván Figueroa / Fernando Fernández

Made in the USA
Columbia, SC
24 October 2022

69923819R00048